You can write the answers on the trees!

Test yourself!

11 x 1 =

12 x 2 =

8 x 2 =

7 x 1 =

9 x 1 =

6 x 2 =

3 x 1 =

2 x 1 =

4 x 1 =

10 x 1 =

6 x 1 =

3 x 2 =

5 x 2 =

12 x 1 =

1 x 2 =

9 x 2 =

7 x 2 =

5 x 1 =

11 x 2 =

1 x 1 =

3 x and 4 x Tables

1 x 3 =
2 x 3 =
3 x 3 =
4 x 3 =
5 x 3 =
6 x 3 =
7 x 3 =
8 x 3 =
9 x 3 =
10 x 3 =
11 x 3 =
12 x 3 =

1 x 4 =
2 x 4 =
3 x 4 =
4 x 4 =
5 x 4 =
6 x 4 =
7 x 4 =
8 x 4 =
9 x 4 =
10 x 4 =
11 x 4 =
12 x 4 =

You can write the answers on the present and the balloons!
Test yourself!
1 x 3 =
8 x 4 =
3 x 3 =
5 x 4 =
2 x 3 =
6 x 4 =
9 x 3 =
11 x 4 =
4 x 3 =
10 x 4 =
7 x 3 =
9 x 4 =
3 x 4 =
10 x 3 =
1 x 4 =
7 x 4 =
8 x 3 =
12 x 3 =
4 x 4 =
12 x 4 =
5 x 3 =

5 x and 6 x Tables
1 x 5 =
2 x 5 =
3 x 5 =
4 x 5 =
5 x 5 =
6 x 5 =
7 x 5 =
8 x 5 =
9 x 5 =
10 x 5 =
11 x 5 =
12 x 5 =
1 x 6 =
2 x 6 =
3 x 6 =
4 x 6 =
5 x 6 =
6 x 6 =
7 x 6 =
8 x 6 =
9 x 6 =
10 x 6 =
11 x 6 =
12 x 6 =

How many shells can you count in this picture? ....
Test yourself!
3 x 6 =
10 x 6 =
7 x 5 =
3 x 5 =
11 x 5 =
6 x 5 =
4 x 6 =
8 x 5 =
9 x 5 =
12 x 6 =
7 x 6 =
12 x 5 =
1 x 6 =
4 x 5 =
2 x 5 =
9 x 6 =
5 x 5 =
6 x 6 =
Write your answers in the spaces.
8 x 6 =
1 x 5 =

7 and 8 x Tables
1 x 7 =
2 x 7 =
3 x 7 =
4 x 7 =
5 x 7 =
6 x 7 =
7 x 7 =
8 x 7 =
9 x 7 =
10 x 7 =
11 x 7 =
12 x 7 =
1 x 8 =
2 x 8 =
3 x 8 =
4 x 8 =
5 x 8 =
6 x 8 =
7 x 8 =
8 x 8 =
9 x 8 =
10 x 8 =
11 x 8 =
12 x 8 =

How many aliens can you count?
....
Test yourself!
2 x 7 =
7 x 8 =
5 x 7 =
2 x 8 =
7 x 7 =
11 x 8 =
9 x 7 =
3 x 8 =
5 x 7 =
10 x 8 =
4 x 7 =
6 x 7 =
8 x 8 =
10 x 7 =
9 x 8 =

11 and 12 x Tables
1 x 11 =
2 x 11 =
3 x 11 =
4 x 11 =
5 x 11 =
6 x 11 =
7 x 11 =
8 x 11 =
9 x 11 =
10 x 11 =
11 x 11 =
12 x 11 =
1 x 12 =
2 x 12 =
3 x 12 =
4 x 12 =
5 x 12 =
6 x 12 =
7 x 12 =
8 x 12 =
9 x 12 =
10 x 12 =
11 x 12 =
12 x 12 =

How many beetles can you spot? ....

Learn these tables

Use these tables to help you with multiplication.

Count in 1's	Count in 2's	Count in 3's
1	2	3
2	4	6
3	6	9
4	8	12
5	10	15
6	12	18
7	14	21
8	16	24
9	18	27
10	20	30
11	22	33
12	24	36

Count in 4's	Count in 5's	Count in 6's
4	5	6
8	10	12
12	15	18
16	20	24
20	25	30
24	30	36
28	35	42
32	40	48
36	45	54
40	50	60
44	55	66
48	60	72

Count in 7's	Count in 8's	Count in 9's
7	8	9
14	16	18
21	24	27
28	32	36
35	40	45
42	48	54
49	56	63
56	64	72
63	72	81
70	80	90
77	88	99
84	96	108

Count in 11's	Count in 12's	Count in 10's
11	12	10
22	24	20
33	36	30
44	48	40
55	60	50
66	72	60
77	84	70
88	96	80
99	108	90
110	120	100
121	132	110
132	144	120

The Big Test!

How many of these multiplications you can complete?

Have fun learning maths with this Write and Wipe Times Tables book, which is full of fun artworks and space for children to draw in their answers.

Help your child practice the basics of time tables, then wipe off and start again! This is an ideal learning book for children at primary school.

- Encourages pen control and develops key arithmetic skills
- Combines early learning with fun and popular topics
- Each page wipes clean, so your child can have fun again and again!

Also available in this series:

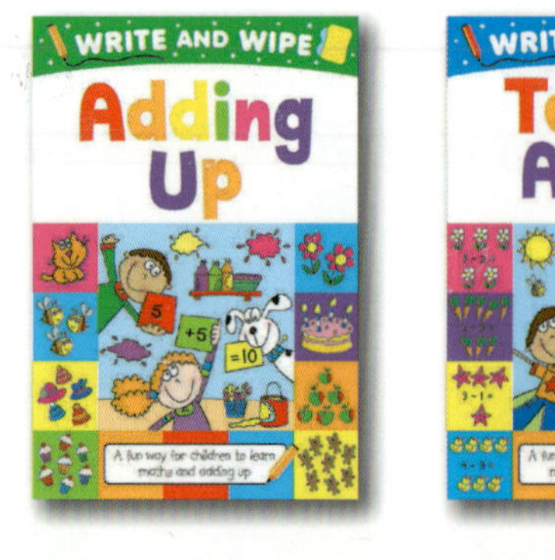

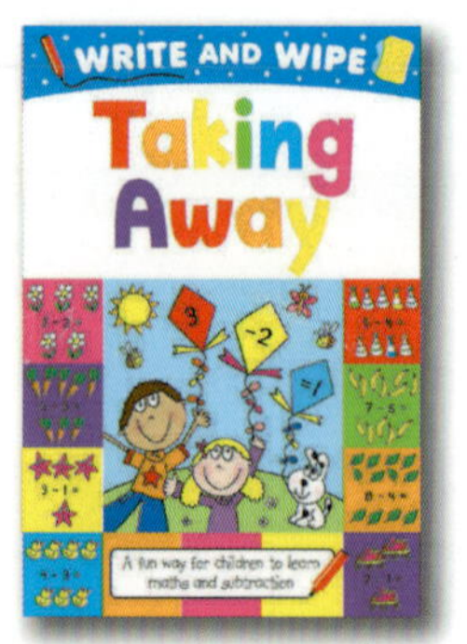

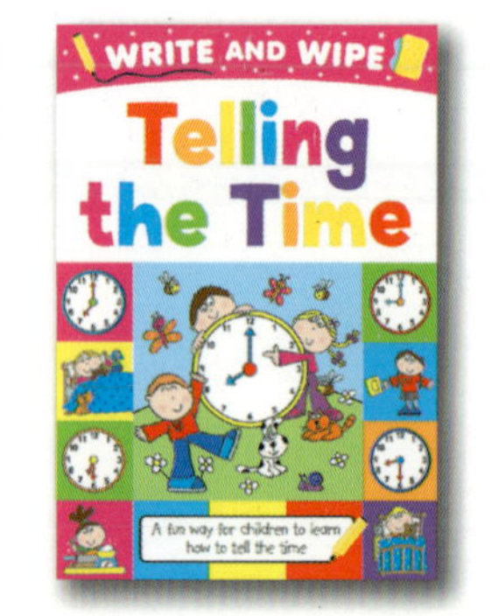

881HN £4.99
ISBN 978-1-85038-905-7
9 781850 389057

Warning: Small parts. Choking hazard.

Printed in Spain